さっそく読《よ》んでみよう!

妖怪《ようかい》たちは宇宙人《うちゅうじん》から
地球《ちきゅう》を守《まも》れるのか!?

【新装版】水木しげるのおばけ学校④

おばけ宇宙大戦争

UFO《ユーフォー》星《せい》の女王《じょおう》

人間《にんげん》によくにたかっこうの宇宙人《うちゅうじん》。

UFO《ユーフォー》星《せい》の宇宙人《うちゅうじん》

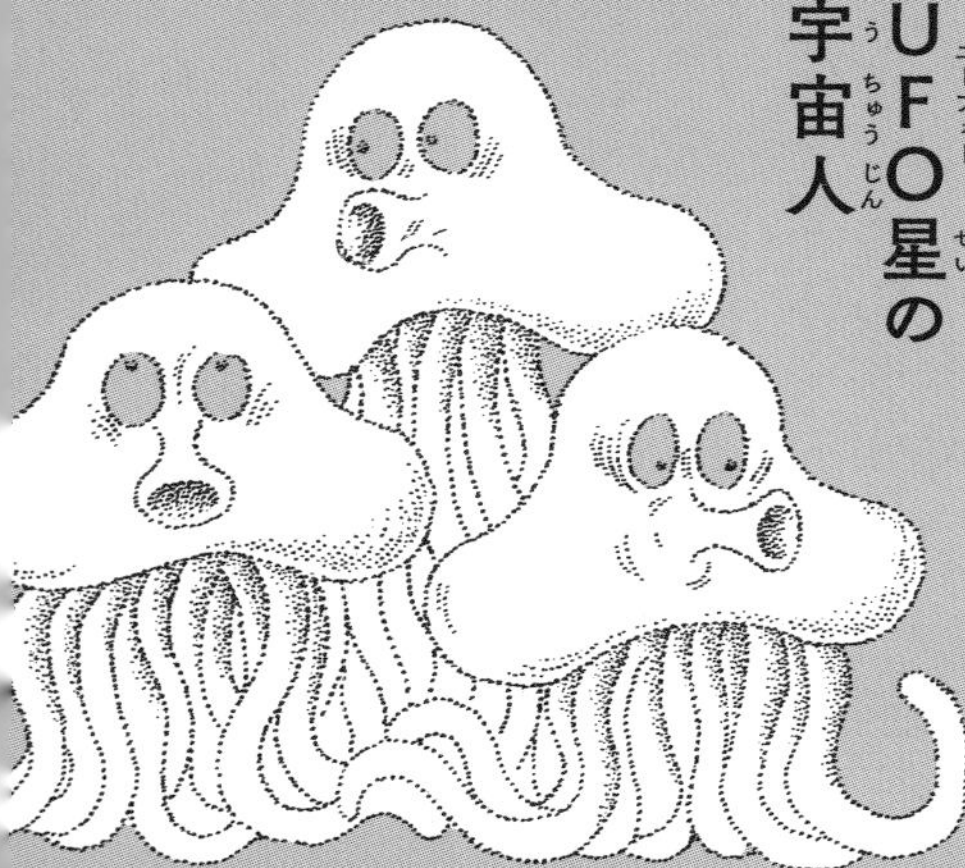

惑星人《わくせいじん》

宇宙《うちゅう》の平和《へいわ》を守《まも》る人《ひと》たち。

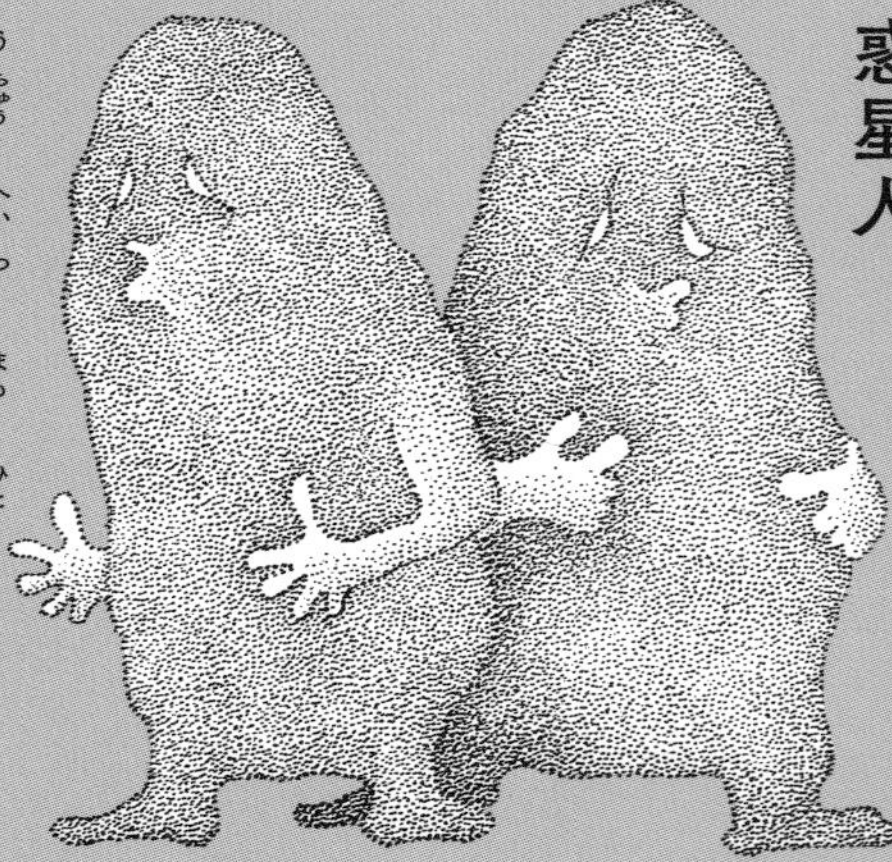

一反《いったん》もめん

鬼太郎《きたろう》のこぶん。

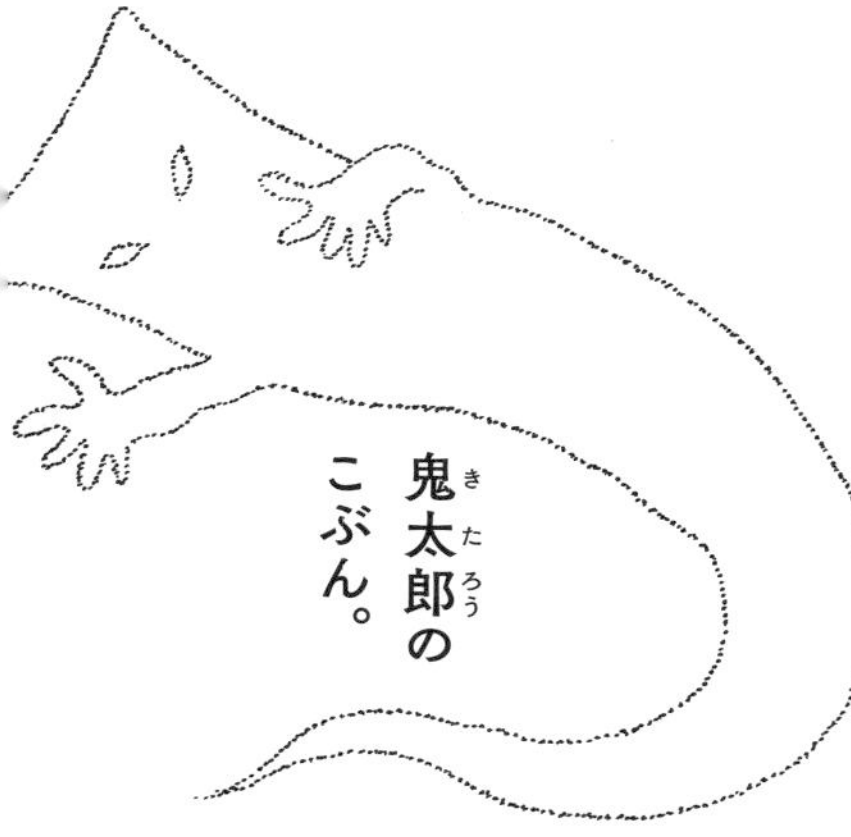

あみきり

鬼太郎《きたろう》のこぶん。

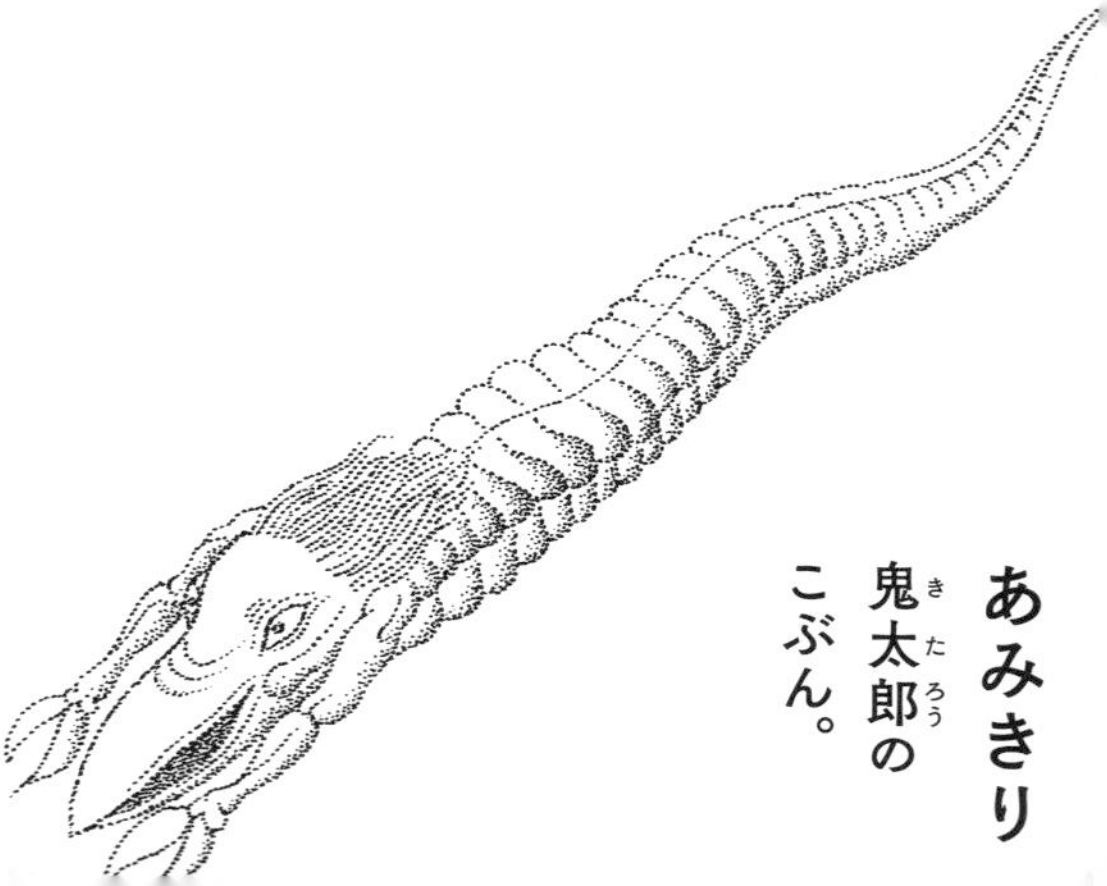

輪入道《わにゅうどう》

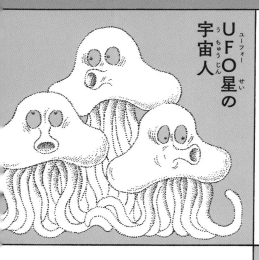

登場人物《とうじょうじんぶつ》

鬼太郎《きたろう》

超能力《ちょうのうりょく》をもつ
ゆいいつのおばけ人間《にんげん》。

ねずみ男《おとこ》

なまけものでふけつ。鬼太郎《きたろう》が
いないと生《い》きてゆけない男《おとこ》。

ねこおやぶん

名前《なまえ》はねこまた。三十年《ねん》いじょう
生《い》き、超能力《ちょうのうりょく》をもっている。

ねこ博士《はかせ》

ねこをけんきゅうしている
かわった博士《はかせ》。

公務《こうむ》ねこ

ふしぎ電車《でんしゃ》につとめる駅員《えきいん》。

ねこになった人間《にんげん》たち

おばけ宇《う》宙《ちゅう》大《だい》戦《せん》争《そう》

ある日《ひ》、
どこからか
UFO《ユーフォー》
（未確認《みかくにん》
飛行物体《ひこうぶったい》）が、
あらわれた。
それは東京《とうきょう》の上空《じょうくう》で、
ピタッととまり、
やがて、ウイィーン
という音《おと》がして、
ハッチがひらいた。

ゴー
ピカピカッ

ピカッ
ピカッ

ハッチからは
たまごのような
ものが一個《こ》
おちてきた。
それは地上《ちじょう》で
こわれると、
いままで
かいだこともない
悪臭《あくしゅう》を、
はなち
はじめた。

鼻《はな》をつまんでも、口《くち》をおさえても、においは、からだじゅうにしみこんでくる。
　みんなはがまんできなくなって、東京《とうきょう》のそとへ、にげだしてしまった。

しかし、その悪臭《あくしゅう》も妖怪《ようかい》にはにおわない。

「なんだか、人間《にんげん》たちのようすが、おかしいよ。」

ぬらりひょんが言《い》った。

あまのじゃく
ひよりぼう
ぬらりひょん
ねぶとり
ぬるぬるぼうず

いっぽう、こちらは鬼太郎《きたろう》の家《いえ》。

「鬼太郎《きたろう》、さっきラジオで話《はな》しとったが、いままでかいだこともないような悪臭《あくしゅう》のために、東京《とうきょう》にはねこの子《こ》一ぴきいないそうだ。」

「おとうさん、そとがなんだかそうぞうしいですよ。」

そとをのぞくと、妖怪《ようかい》たちが、おおぜいあつまっていた。

ガヤガヤガヤーッ

「鬼太郎《きたろう》、おめえ、なにしてんだ。
宇宙人《うちゅうじん》が東京《とうきょう》をせんりょうして
しまったんだ。日本《にほん》がせんりょう
されれば、おいらたちだって、
不自由《ふじゆう》するんだぜ！」
「そりゃあ、たいへんだ。
やっつけよう！」
鬼太郎《きたろう》も、家《いえ》から
とびだした。

「カラスてんぐ、おまえたちは
神通力《じんつうりき》ばくだんを上《うえ》からおとせ。
輪入道《わにゅうどう》、おまえたちゃ、火《か》えん
戦車《せんしゃ》となって、宇宙人《うちゅうじん》のむれに
つっこむのだ。」
「よーし、わかった！」
カラスてんぐと輪入道《わにゅうどう》は、
突撃《とつげき》をかいしした。
なづけてＵＦＯ《ユーフォー》突撃隊《とつげきたい》だ。

ビュー
ガンガンガン

鬼太郎《きたろう》たちが宇宙人《うちゅうじん》を
せめると、宇宙人《うちゅうじん》は
おどろいて、超科学兵器《ちょうかがくへいき》
「くさったたまご」を、
どんどんうってきた。
しかし、妖怪《ようかい》には
「くさったたまご」も、
ききめがない。
宇宙人《うちゅうじん》にとっては、
くるしいたたかいに
なった。

ガラ
ガラ
ガラ

こちら、UFO《ユーフォー》の中《なか》。
UFO《ユーフォー》星《せい》の女王《じょおう》は、このようすを
テレビで見《み》ていた。
「なんという奇妙《きみょう》な一団《いちだん》だ。
地球《ちきゅう》でいちばん強《つよ》いのは人間《にんげん》だと
思《おも》っていたが、別種《べっしゅ》のいきものが
いたのだな。このままでは、
UFO《ユーフォー》軍《ぐん》があぶない。」
「さようでございます。」
「あのシマのきものをきた子《こ》どもが、
たいしょうだな。ひみつ兵器《へいき》、幻覚《げんかく》
バクダンでつかまえろ。」
「はっ。」

女王《じょおう》のじれいが出《だ》されてまもなく、
鬼太郎《きたろう》のうしろで、
おかしなバクダンが、はれつした。
バオーン。
「あーっ。」
みるみる、鬼太郎《きたろう》の頭《あたま》は、
ぼやけてきた。

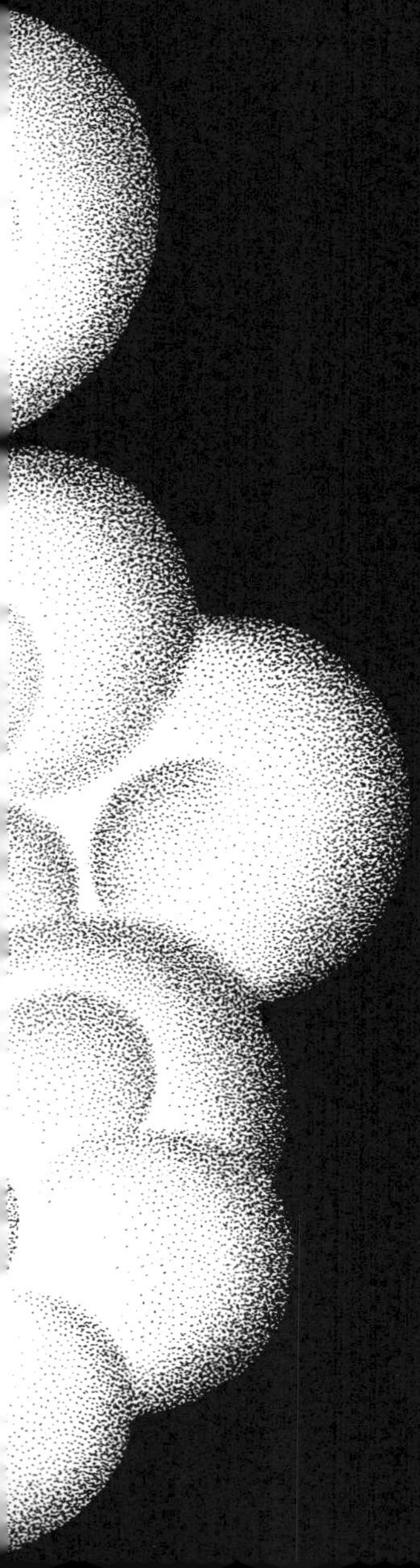

バオ――ン!!

もうろうとした鬼太郎《きたろう》のまわりを、けむりがとりまいた。

「おや、すなかけに子《こ》なき？」

すなかけばばあと子《こ》なきじじいに
にたけむりが鬼太郎《きたろう》に、
話《はな》しかけてきた。

「鬼太郎《きたろう》、おまえはUFO《ユーフォー》星《せい》のもののなのだ。おまえはわれわれのために地球人《ちきゅうじん》とたたかうのだ。」

「えっ、なんだって？」

すなかけばばあは、鬼太郎《きたろう》のノウミソに変心《へんしん》クギをうちこんだ。

変心《へんしん》クギをうたれると、
こころがかえられてしまうのだ。
変心《へんしん》クギですっかり、こころが
かわってしまった鬼太郎《きたろう》は、
女王《じょおう》のめいれいどおり、
なかまをやっつけはじめた。
「おれのゆびでっぽうでも、
くらえーっ。」
「うわーっ。鬼太郎《きたろう》が
おかしくなったぞーっ。」
妖怪《ようかい》たちは、たまげて
にげだした。

うわっ
ポッポッポーッ

二、三日《にち》たって、鬼太郎《きたろう》は、せんりょうされたテレビ局《きょく》に顔《かお》を出《だ》した。

「ぼくは、ＵＦＯ《ユーフォー》星《せい》のものである。げんざい、ＵＦＯ《ユーフォー》は東京《とうきょう》をせんりょうしているが、日本中《にほんじゅう》がＵＦＯ《ユーフォー》軍《ぐん》のまえにひれふすならば、ぼくが、とくべつにＵＦＯ《ユーフォー》星《せい》の女王《じょおう》さまにおねがいして、しょくんの命《いのち》を助《たす》けてやろう。」

「なにを、言《い》ってるんだ！」
「このおたんこなすめっ！」
みんなは、かんかんになって
どなったが、あいてが
テレビでは、どうにもならない。
そのとき、
「みんな、しずかにして
ください。」
と、さけぶものがいた。

そうりだいじんだ。
「鬼太郎《きたろう》をUFO《ユーフォー》軍《ぐん》に
とられては、日本《にほん》は
せんりょうされてしまう。
そこで、わたしは、
地球《ちきゅう》科《か》学《がく》隊《たい》に、鬼太郎《きたろう》を、
とらえることを
めいじました。
ごあんしんください。」

ピカ
ピカ
ピカッ

地球科学隊《ちきゅうかがくたい》は、白《しろ》いけむりを、鬼太郎《きたろう》のへやの中《なか》にふきこんだ。
鬼太郎《きたろう》は気《き》がついて、にげようとしたが、からだの自由《じゆう》がきかない。
けむりは、しびれぐすりだったのだ。
科学隊《かがくたい》の手《て》が何本《なんぼん》ものびてきて、鬼太郎《きたろう》をつれさった。

それから、二、三日後《にちご》。

のんきなねずみ男《おとこ》は、公園《こうえん》のベンチでしんぶんをよんでいた。

よみすすむうちに、ねずみ男《おとこ》はとびあがらんばかりにおどろいた。

そのしんぶんには、

『鬼太郎《きたろう》がおかしくなり、UFO《ユーフォー》軍《ぐん》のみかたになった。そこで地球科学隊《ちきゅうかがくたい》は、しかたなく、鬼太郎《きたろう》を放射能《ほうしゃのう》のカスといっしょにドラムカンにつめて、太平洋《たいへいよう》にしずめることにした。』

と、かいてあったからだ。

「日本《にほん》のたからである鬼太郎《きたろう》を、えいきゅうに太平洋《たいへいよう》にしずめるなんて、無知《むち》もいいとこだ。」

ねずみ男《おとこ》は、プリプリおこりながら、妖怪《ようかい》ひろばに出《で》かけていった。

ねずみ男《おとこ》がおこるのも、むりはなかった。
ねずみ男《おとこ》はながいあいだ、鬼太郎《きたろう》をりようして、めしを食《た》べてきた。
鬼太郎《きたろう》がいなくなると、たちどころに失業《しつぎょう》することになるのだった。

「一反《いったん》もめんに、あみきり！
日《ひ》ごろ、おせわになって
いる鬼太郎《きたろう》さまの
救出《きゅうしゅつ》に、
きょうりょくしろ！」

「わかってるよ。」

ねずみ男《おとこ》とあみきりは、一反《いったん》もめんにのって、地球科学隊《ちきゅうかがくたい》のほんぶへむかうことにした。

「ねずみ男《おとこ》。おまえ、えらそうなことを言《い》ってるけど、鬼太郎《きたろう》がどこにつかまってるか、わかっているのかい。」

そう言《い》われてふりむくと、いつのまにか、口《くち》うるさいすなかけばばあが、のりこんでいる。

すなかけに、ごねられてはかなわないと思《おも》ったねずみ男《おとこ》は、ひっしでゴマをすった。

「あっ、すなかけのおばば。あんたのカンのよさで、発見《はっけん》するしか方法《ほうほう》はありません。」

「そうじゃ。わしが大空《おおぞら》にすなをまいて鬼太郎《きたろう》の霊波《れいは》のありかをさがせば、

わけないことだ。」

すなかけは、むやみやたらとすなをまいて、鬼太郎《きたろう》の霊波《れいは》をさぐった。

すると、感度《かんど》の強《つよ》いひとつのビルが見《み》つかった。

「一反《いったん》もめん、低空飛行《ていくうひこう》してみろ。」

一反《いったん》もめんがちかづくと、たしかに鬼太郎《きたろう》のにおいがする。

「おばば、おれはあみきりとあのビルにおりる。」

ねずみ男《おとこ》はそう言《い》うと、あみきりとともに下《した》へおりた。

ちかづいてみると、たしかに鬼太郎《きたろう》が、鉄《てっ》サクの中《なか》に入《い》れられているではないか。

「あみきり。おめえ、はやく鉄《てっ》サクをきってくれ。」

あみきりは、なんでもきれる万能《ばんのう》ハサミで鉄《てっ》サクをボリボリきりだした。

ねずみ男《おとこ》は、まどから入《はい》って、鬼太郎《きたろう》に声《こえ》をかけた。

しかし鬼太郎《きたろう》は、あたまに変心《へんしん》クギをさされているため、ねずみ男《おとこ》がだれだかわからないのだった。

「おい鬼太公《きたこう》、しっかりしろ！」

「おまえはだれだ？」

「おれはねずみ男《おとこ》だ。バカもの！」

「バカものとはなんだ！」

ふたりは大声《おおごえ》でけんかをはじめた。

その声《こえ》をききつけて、看守《かんしゅ》がやってきた。

おおいそぎで、鬼太郎《きたろう》をつれてにげようとするねずみ男《おとこ》。

にげられてはこまると、ピストルをぶっぱなす看守《かんしゅ》。

ダダーン。

しかし、ピストルのたまは、
うんよく変心《へんしん》クギを、
うちおとした。
このクギさえおちれば、
こっちのもの。
鬼太郎《きたろう》は正気《しょうき》をとりもどした。

「おお、ねずみ男《おとこ》!」
鬼太郎《きたろう》は、すぐさま一反《いったん》もめんに
とびのり、大空《おおぞら》へまいあがった。
「鬼太郎《きたろう》、おめえ、このまま人間《にんげん》の
ほうにいったって、ころされるだけだ。」
「どうしてだ?」
「おまえは、UFO《ユーフォー》軍《ぐん》の幻覚《げんかく》バクダンを
あびたとき、頭《あたま》に変心《へんしん》クギを
さしこまれたのだ。」
「そうだったのか。」
「それだけならまだいいけど、
おまえはテレビで、UFO《ユーフォー》星《せい》のものだと
宣言《せんげん》してしまったんだ。」

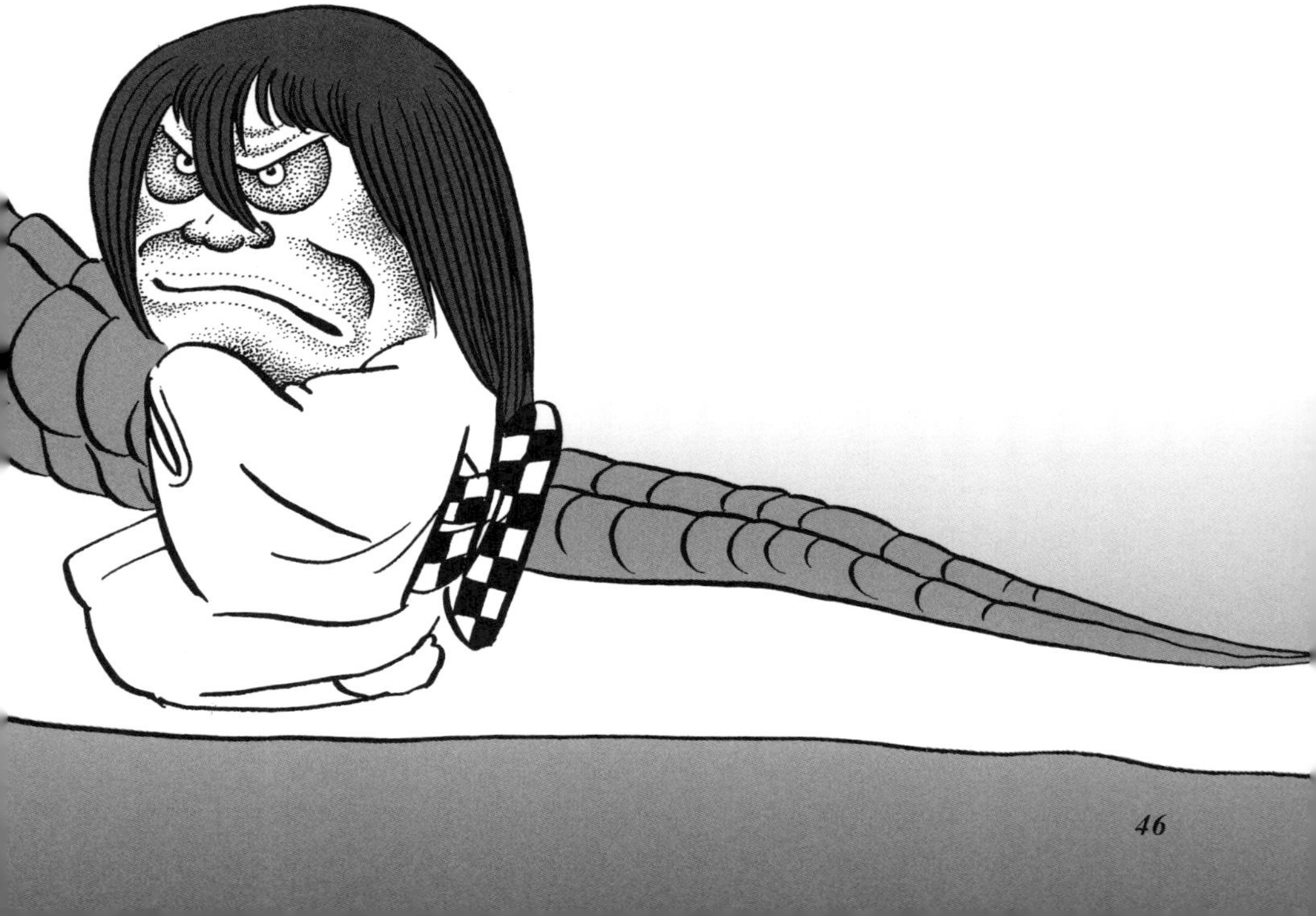

「なんだと。
すると、ぼくは
てきのものだと
宣言《せんげん》してしまったのか。」
「そうだ。だから、
このさい、UFO《ユーフォー》星《せい》の
ほうににげだしたほうが、
あんぜんかもしれないぜ。」
ねずみ男《おとこ》は、どこまでも
むせきにんだ。
「バカたれ！」
すなかけばばあが
どなりつけた。

「UFO《ユーフォー》星《せい》のほうににげたら、
鬼太郎《きたろう》はよくてもわれわれは
どうなるんだ。」
すなかけばばあにしかられて、
ねずみ男《おとこ》が小《ちい》さく
なっていると、まことに
つごうよく、へんな惑星《わくせい》が
ちかづいてきた。

「なんだ、ありゃあ。ピカピカとしんごうをおくってるぜ。」
「あっ、強制着陸《きょうせいちゃくりく》のあいずだ。」
「よし。おりてみよう。」

おりてみると、なにやらふしぎな
惑星《わくせい》だった。
鳥《とり》がないているような声《こえ》がするので、
ふりむくと、惑星人《わくせいじん》らしきものが立《た》っている。
鬼太郎《きたろう》たちは、惑星人《わくせいじん》について地下壕《ちかごう》へ
入《はい》っていった。

惑星人《わくせいじん》は、言《い》った。
「われわれとUFO《ユーフォー》星《せい》は、
てきどうしなのだ。」
「なに、てき？」
「そう。かれらは地球《ちきゅう》を
せんりょうしたいと言《い》っているが、
われわれははんたいだね。
宇宙《うちゅう》は平和《へいわ》に
しておくべきだ。
われわれは、その
ために、新兵器《しんへいき》を
つくっている。」
「鬼太郎《きたろう》、その新兵器《しんへいき》とやらを

見《み》せてもらおうじゃねえか。」

あいかわらず、あつかましいねずみ男《おとこ》の発言《はつげん》によって、鬼太郎《きたろう》たちは工場《こうじょう》へあんないされた。

「これは、なんだ？」
「移送機《いそうき》だ。」
「移送機《いそうき》？」
「ここから、なんでもとおくに
おくることができる。」
「ロケットなんか、いらない
わけだ。」
「なんだったら、このウマを
移送機《いそうき》の中《なか》に入《い》れて、
じっけんしてみよう。」

ゴーッ。
という音《おと》とともに、
ウマは消《き》えてしまった。
「ウマをとおくへおくったのです。」
ねずみ男《おとこ》たちがおどろいていると、
べつの惑星人《わくせいじん》が、とびこんできた。
「たいへんです。地球《ちきゅう》がやられています。
すぐテレビ室《しつ》へ！」
みんなは、テレビ室《しつ》へかけこんだ。

「なるほど、こりゃあ、たいへんだ。
UFO《ユーフォー》軍《ぐん》の猛攻撃《もうこうげき》が、はじまったんだ。」
「この移送機《いそうき》と幻覚《げんかく》バクダンが
あったらなあ。」
すると、惑星人《わくせいじん》は、
「幻覚《げんかく》バクダンなら、わたしのほうにも
あります。あなたがたが、UFO《ユーフォー》軍《ぐん》を
やっつけてくれるなら、この移送機《いそうき》と
幻覚《げんかく》バクダンを、大型移送機《おおがたいそうき》で
おくってあげますよ。」
「ほんとですか?」
「ほんとですよ。」
「じゃあ、おねがいしましょう。」

「鬼太郎《きたろう》、移送機《いそうき》ってなんだね？」

すなかけばばあが、ふしぎそうな顔《かお》をしてきいた。すなかけは、科学《かがく》ものはにがてなのだ。

「ものを場所《ばしょ》から場所《ばしょ》へ移動《いどう》させるきかいだよ。」

鬼太郎《きたろう》がせつめいする。

すなかけは、まだ、くびをひねっている。

「さあ、みんな、しゅっぱつだ！」

鬼太郎《きたろう》たちは、きょだいな移送機《いそうき》でUFO《ユーフォー》軍《ぐん》のまっただ中《なか》に、かえっていった。

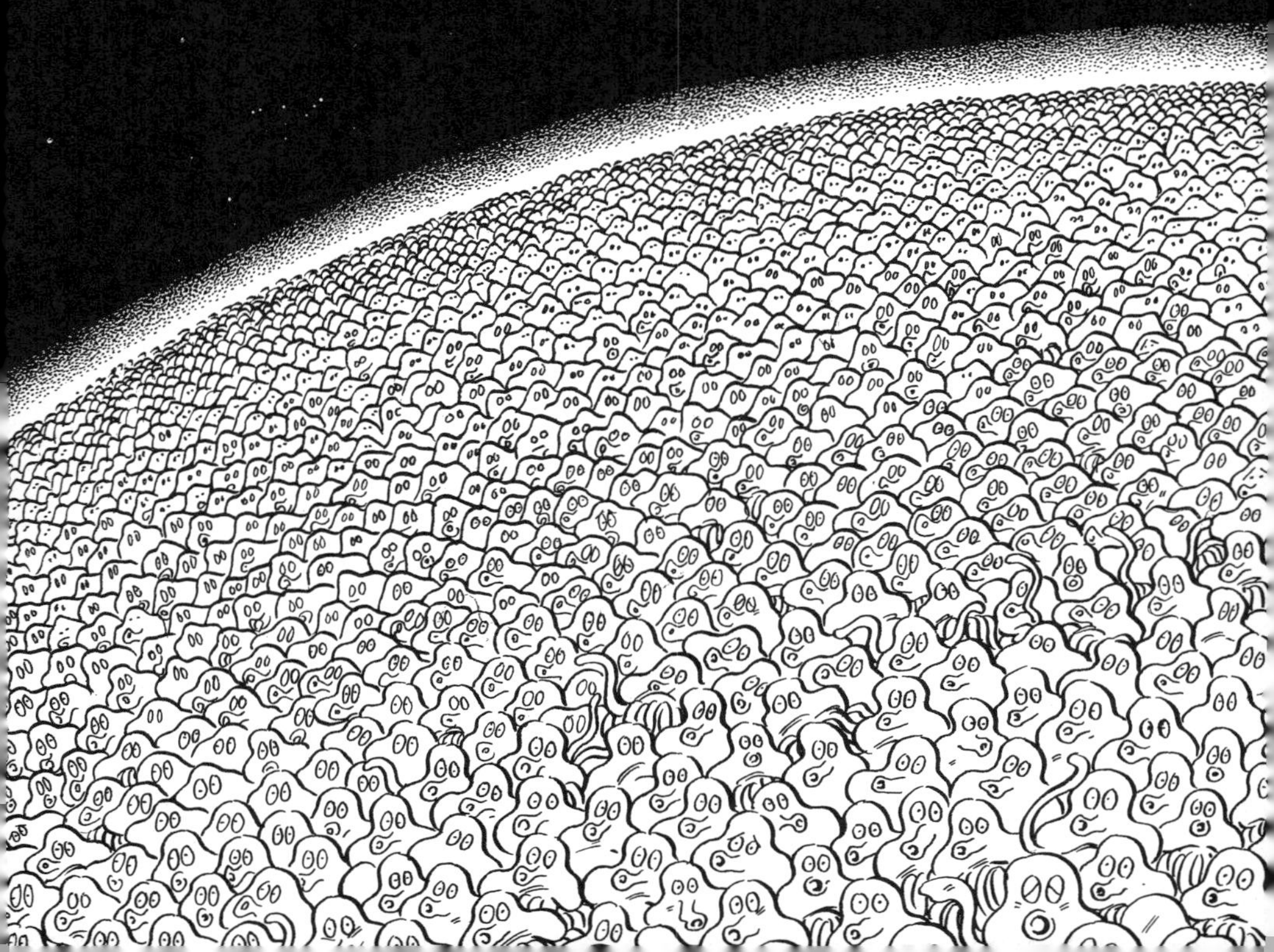

「うわーっ。鬼太郎《きたろう》が
かえってきたぞーっ。」
　宇宙人《うちゅうじん》は、鬼太郎《きたろう》がまだみかただと
思《おも》っているので大《おお》よろこび。
ワイワイと、鬼太郎《きたろう》のそばに
あつまってきた。
　そこへ、鬼太郎《きたろう》が幻覚《げんかく》バクダンを
なげつけたから、たまらない。
　UFO《ユーフォー》軍《ぐん》は、あっと言《い》うまに、
集団《しゅうだん》さいみんじゅつにかかり、
グニャグニャになってしまった。

どわーん

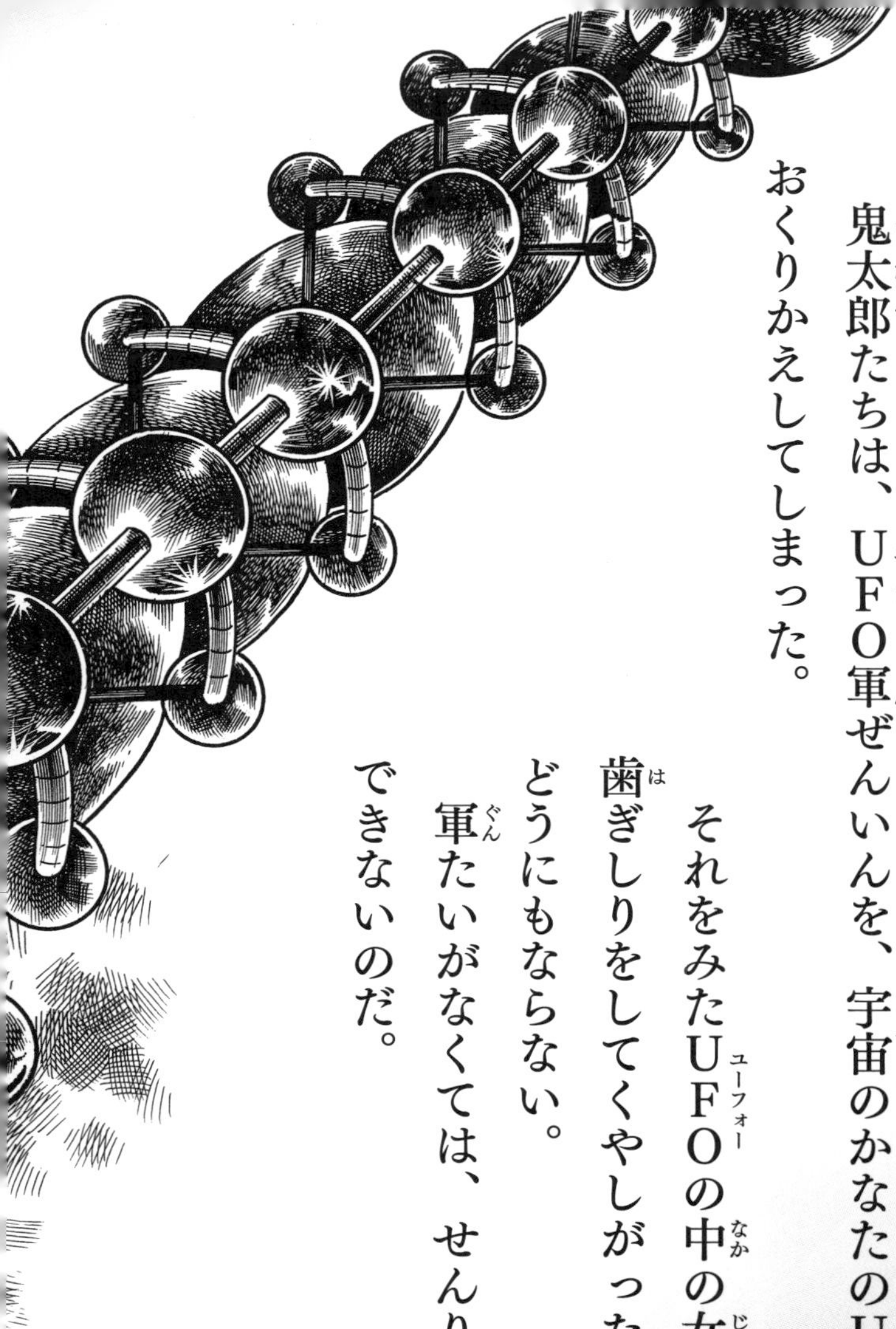

「それーっ、ＵＦＯ《ユーフォー》星《せい》の兵士《へいし》はこの新兵器《しんへいき》の中《なか》に入《はい》るんだっ！」

鬼太郎《きたろう》がそう言《い》うと、兵士《へいし》たちはゾロゾロと、ゆめのような気分《きぶん》で、中《なか》に入《はい》っていった。

鬼太郎《きたろう》たちは、ＵＦＯ《ユーフォー》軍《ぐん》ぜんいんを、宇宙《うちゅう》のかなたのＵＦＯ《ユーフォー》星《せい》におくりかえしてしまった。

それをみたＵＦＯ《ユーフォー》の中《なか》の女王《じょおう》は、歯《は》ぎしりをしてくやしがったが、どうにもならない。軍《ぐん》たいがなくては、せんりょうができないのだ。

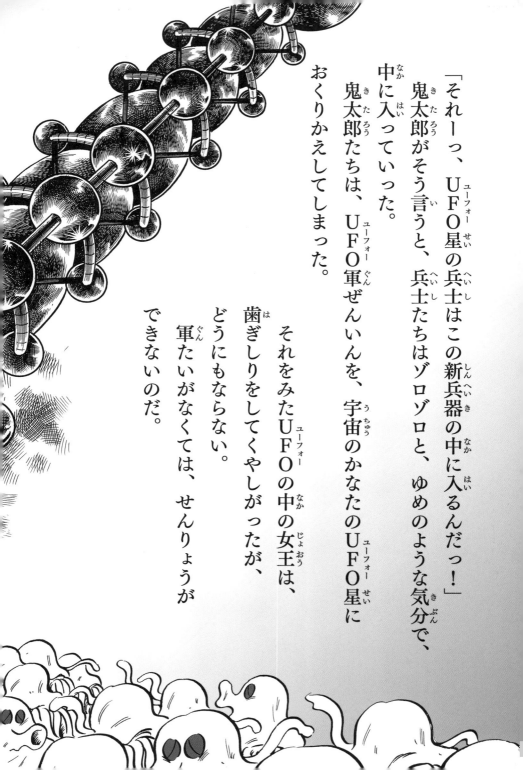

「それでは、フルサト
（宇宙《うちゅう》）にかえる。」
女王《じょおう》もUFO《ユーフォー》星《せい》に、
かえっていった。

やがて、東京《とうきょう》に平和《へいわ》がもどってきた。

これで地球人《ちきゅうじん》も、鬼太郎《きたろう》の変心《へんしん》をゆるしてくれるだろう。

「やあ、鬼太郎《きたろう》くん。ありがとう。」

ふりむくと、そうりだいじんがあくしゅをもとめにきていた。

「いやあ、こんどは苦戦《くせん》でした。」

鬼太郎《きたろう》もわらって、手《て》をさしだした。

ねこ町《まち》キップ

鬼太郎《きたろう》とねずみ男《おとこ》は
はたらいていないので、
ぜんぜん、
収入《しゅうにゅう》がない。
いつも、
はらぺこだった。
ある日《ひ》、あまり
腹《はら》がへるので、
山《やま》へ食《た》べものを
さがしに出《で》かけた。
すると、
いっけんの
奇妙《きみょう》な家《いえ》を

見《み》つけた。

アシスタント
募集《ぼしゅう》！
猫《ねこ》博士《はかせ》

「入《はい》って
みよう。」
「あのう、はり紙《がみ》を
見《み》てきたのですが……。」
中《なか》には、パイプを
くわえたおじさんがいる。
「お名前《なまえ》は？」
「鬼太郎《きたろう》。」
「ぼく、ねずみ男《おとこ》です。」
「わしはながいこと、大学《だいがく》で統計学《とうけいがく》
というものをやっとった。そこで、
ゆくえふめいの人間《にんげん》がふえると、
ねこの数《かず》がふえるということを、

猫語
猫又の恐怖
化猫の世界
猫町キップ
統計学は

発見《はっけん》したんじゃ。」

「なんとか、このふしぎな現象《げんしょう》を、かいけつしようとして、山《やま》の中《なか》に入《はい》ったんだが、なにしろふべんでね。そこでどうしても助手《じょしゅ》がひつようなのだ。」

「それで、待遇《たいぐう》は？」

「そうねえ。きゅうりょうなしで三食《しょく》つきだ。」

「すると、ブタみたいにやしなってもらうだけですか？」

「ねずみ男《おとこ》、学問《がくもん》の役《やく》に立《た》つんだから、いいじゃないか。」

鬼太郎《きたろう》になだめられて、ねずみ男《おとこ》は、やっとなっとくした。

その人《ひと》は、ねこ博士《はかせ》といって、ねこけんきゅうの大家《たいか》だったのだ。

二、三日《にち》して、ふしぎなことがおこった。
「あっ、おれの手《て》ぬぐいがねえや、ちょっとしっけい。」

ねずみ男《おとこ》は、鬼太郎《きたろう》の手《て》ぬぐいで、顔《かお》をふきかけた。

「おい、人《ひと》の手《て》ぬぐいで、顔《かお》をふくやつがあるかい。ただでさえ、ふけつなおまえに顔《かお》なんかふかれちゃあ、くさくてこまるじゃないか。」

鬼太郎《きたろう》は、カンカンだ。

「だって、おれの手《て》ぬぐいがなくなってるんだもの。」

「なにも、おれの手《て》ぬぐいでふかなくても、ぞうきんがそこにあるじゃないか。」

「ぞうきんとは、ひどい。」

そのとき、博士《はかせ》がやってきた。

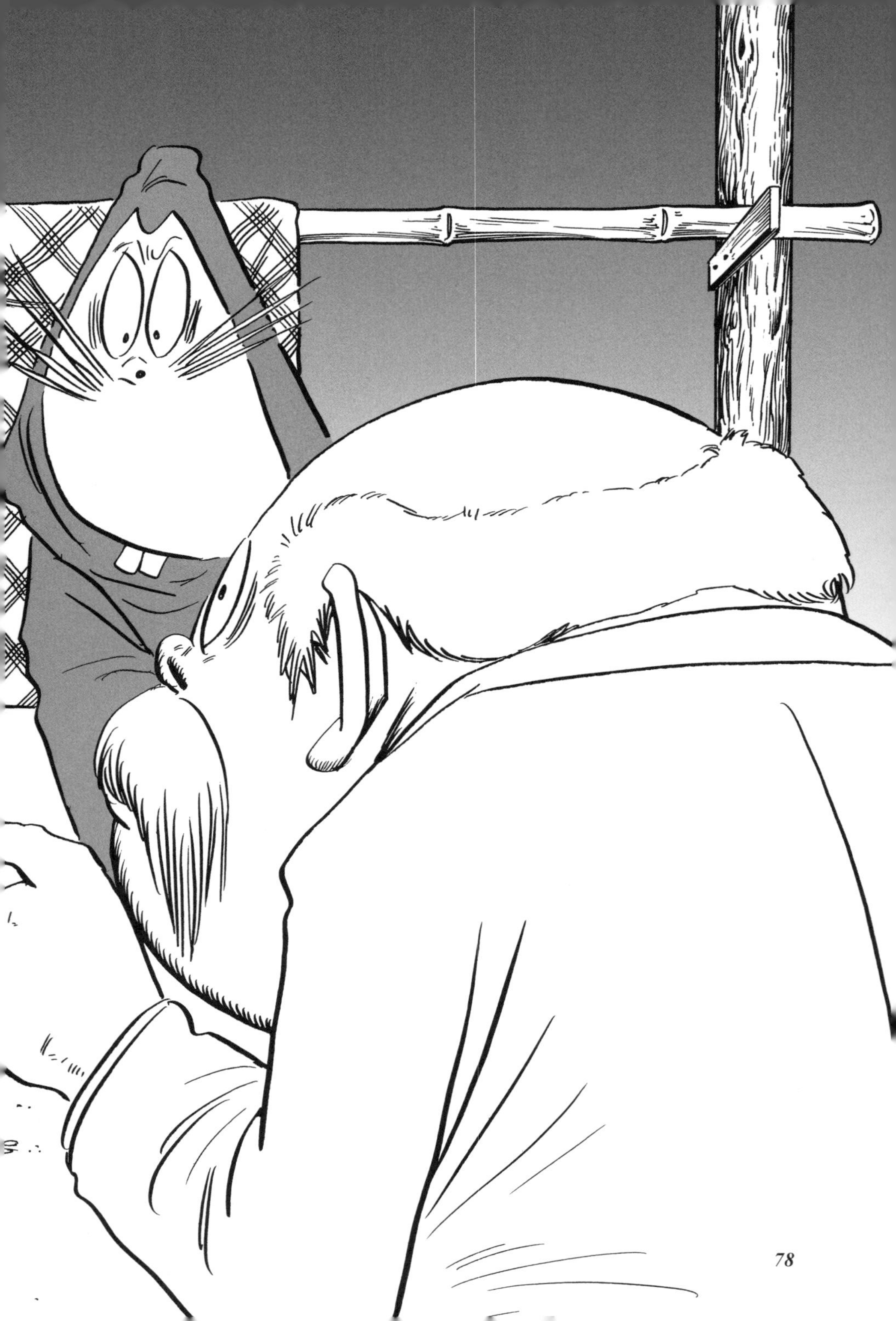

「きみたち、どうしたの？」

ねずみ男《おとこ》が、事情《じじょう》をせつめいした。

「そうなんだ。手《て》ぬぐいが、やたらに見《み》えなくなるのも、わしの統計《とうけい》によるとねこがふえるげんいんなのだ。」

「そんなバカな！」

「鬼太郎《きたろう》、おめえ、ねこ博士《はかせ》の言《い》われることに、ケチをつける気《き》か。」

このときとばかり、ねずみ男《おとこ》がやりかえした。

ハッとして見《み》ると、いままであった鬼太郎《きたろう》の手《て》ぬぐいも、なくなっていた。

「すると、博士《はかせ》。ぼくの手《て》ぬぐいも、ねこのしわざで……。」

「もちろん。」

そのとき、鬼太郎《きたろう》の目《め》から、目《め》だまのおとうさんが出《で》てきて言《い》った。

「鬼太郎《きたろう》。あの手《て》ぬぐいは、ただの手《て》ぬぐいではない。先祖《せんぞ》だいだいからつたわる、だいじな古手《ふるて》ぬぐいだ。」

「それじゃ、さがしに

いかなくては……。」

「そう、
その手《て》ぬぐいを
ついせきして
くれることが、
わしの
けんきゅうの
手《て》助《だす》けになる
のじゃ。」

そこで、ふたりは、
古《ふる》手《て》ぬぐいを
さがしにいくことに
なった。

たけやぶをしばらくいくと、どこからか、「ねこのうた」がきこえてきた。

「ニャ、ニャ、ニャン、ニャン、ニャンのニャン。」

見《み》ると、たけやぶの中《なか》で、ねこたちがおどっているのだった。

「鬼太郎《きたろう》。おれ、ねずみおどりは見《み》たけど、ねこおどりははじめてだよ。見《み》にいこう。」

「バカ、おどりを見《み》にきたんじゃないよ。古手《ふるて》ぬぐいをとりかえさなきゃあ。」

すると、ねずみ男《おとこ》はなにを思《おも》ったのか、
大声《おおごえ》で言《い》った。
「おい、ねこたち。このおかたをだれだと
思《おも》う。天下《てんか》の鬼太郎《きたろう》先生《せんせい》であらせられるぞ。
ねこおどりをやめて、先生《せんせい》の古手《ふるて》ぬぐいさがしに、
きょうりょくしろ。」
だが、ねこたちは、キョトンとしている。
しかたなく、鬼太郎《きたろう》がねこ語《ご》でしゃべり
だすと、ねこたちは、大《おお》いにおどろいた。
「すごいな。ねこ語《ご》がしゃべれるじゃないか。」
なかから、いっぴきのねこがすすみでて、
「おみそれいたしました。どうぞ、こちらへ。」
と、やぶの中《なか》の穴《あな》に、あんないした。

穴《あな》は、おくのほうに
いくと、だんだん
大《おお》きくなっていて、
かいだんまでついている。
さらに、おくのほうに
いくと、へんなものが
見《み》えてきた。
あんないのねこは、
そのドアをノックして、
「どうぞ。この中《なか》に
ねこおやぶんがおられます。」
と、言《い》った。

中《なか》に
入《はい》ると、
大《おお》きなねこが、
「どうぞ、
いらっしゃい。」
と、
ソファーを
すすめた。

「じつは、これこれしかじかで、手《て》ぬぐいが
見《み》えないのですが。」
と、鬼太郎《きたろう》はせつめいした。
「なくした手《て》ぬぐいは、そんなにたいせつな
ものでしたか。」
　ねこおやぶんは、
コンピューターを
カチャカチャ
いじりはじめた。
　そして、
「ああ、ちょうど
席《せき》があいていましたよ。」
と、紙《かみ》きれを二まい、鬼太郎《きたろう》にわたした。

「なんですか、これ。」
「ねこ町《まち》キップです。
地下鉄《ちかてつ》の大手町《おおてまち》で
おりて、ねこ町線《まちせん》に
のりかえるのです。
終点《しゅうてん》のねこまた駅《えき》に、
あなたの
手《て》ぬぐいがあります。」
「すると、地下鉄《ちかてつ》の下《した》にねこ町線《まちせん》が……。」
「まあね。そのキップをもっていたら、しぜんに
足《あし》がむきますからごしんぱいなく。」
「はい。」
ふたりは、ねこ町線《まちせん》にむかった。

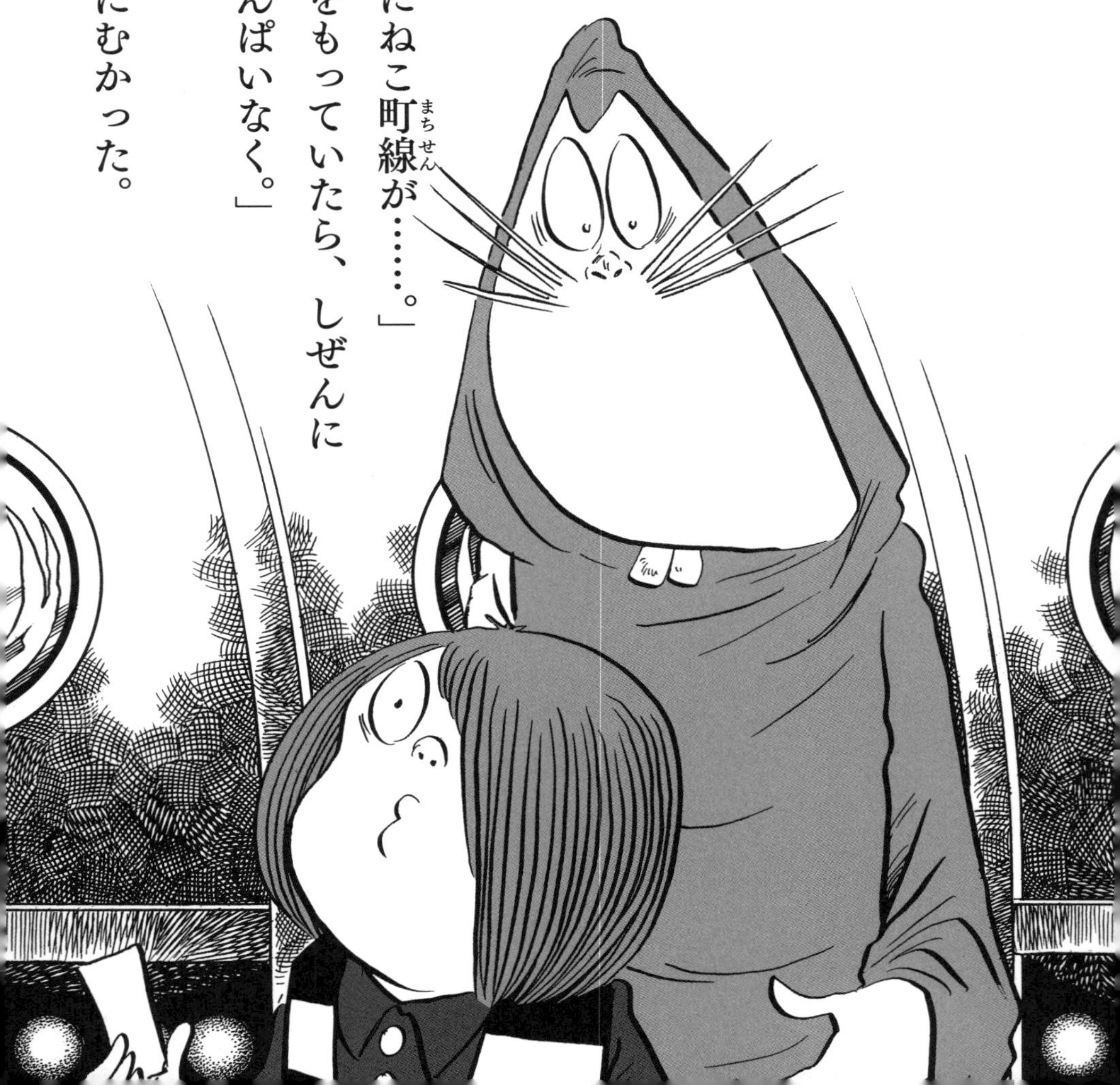

「ねこ町線《まちせん》なんて、
きいたことないな。」
「しかし、あのねこの
尾《お》はふたつに
わかれていたぜ。
ねこまたとちがうか。」
ねずみ男《おとこ》がきいた。
「うむ、ねこまたと
いやあ、むかしから
神通力《じんつうりき》をもった
ばけねこと
いわれているな。」

めいろのような地下鉄《ちかてつ》を
グルグルまわって、
ねこ町線《まちせん》にのりかえた。
ばけねこ駅《えき》をすぎる
ころ、乗客《じょうきゃく》は、

ねずみ男《おとこ》と鬼太郎《きたろう》
だけになり、
顔《かお》がだんだん
ねこ化《か》していった。

終点《しゅうてん》のねこまた駅《えき》についたときは、
かんぜんにねこになって
いた。
「鬼太郎《きたろう》。おまえ、かんぜんに
ねこになっちまったぜ。」

「おまえこそ、ねこだ。」

「ちょっと、パスポートはいけん。」

「パスポートって
キップのことですか？」

「そうです。」

公務《こうむ》ねこはキップを
とると、コンピュー
ターにさしこんだ。
コンピューターの
中《なか》から、
ポコッ、ポコッと
手《て》ぬぐいが出《で》てきた。
「はい、これもって、
つぎの電車《でんしゃ》で
かえりなさい。」
そう言《い》われて、
手《て》ぬぐいをうけとって
みると、たしかに

なくした手《て》ぬぐいだ。

つぎの電車《でんしゃ》にのったものの、顔《かお》は、ねこのままです。

「いやんなっちまうなあ。おれ、ねずみ男《おとこ》なのに、ねこ男《おとこ》になるなんて。」

ぼやく、ねずみ男《おとこ》。

「こんどのじけんは、どうやら、
おまえの超能力《ちょうのうりょく》でも、どうにも
ならんようだな。いずれにしても、
えらいことになっちまったもんだ。」
ふたりが、たけやぶに
ちかづくと、「ねこのうた」が、
きこえてきた。
なんでも、これから入猫式《にゅうねこしき》が、
おこなわれるんだという。
「だれの入猫式《にゅうねこしき》だ？」
「おまえたちの入猫式《にゅうねこしき》じゃねえか。」
鬼太郎《きたろう》たちは、
びっくりぎょうてん。

「わかったら、はやく
手《て》ぬぐいをかぶれ。」
「はい、こうですか。」
ふたりが手《て》ぬぐいを
かぶると、おどりが
はじまった。
　すると、はなヒゲを
はやしたねこが、
「おどりが、
ふまじめだ。」
と、もんくを言《い》うのだ。

「はい、しつれいいたしました。」
と、熱心《ねっしん》におどると、
入猫式《にゅうねこしき》にごうかく。
いちにんまえのねことして、
あつかわれることになった。
「なんだ。おれたちは、
ねことしてくらすのか。」
ふたりは、
がっかりだった。

「おまえ、ねこと
してくらすじしん
あるか？」
ねずみ男《おとこ》のたよりなげな声《こえ》。
「ないね。」
鬼太郎《きたろう》もからっきし、
元気《げんき》がない。

「どうだい。もう、こうなったら、あのたけやぶの
穴《あな》の中《なか》のねこおやぶんに、あいさつがてら、
ワビを入《い》れてみねえか。」
「そうするしかないねえ。」
ふたりは、やぶの中《なか》に入《はい》り、穴《あな》をとおって、
ねこおやぶんを訪問《ほうもん》した。
「おやぶん、ごめんくださいまし。」
すると、ドアがあいて、入《はい》れというあいずが、
ピカッとひかった。

ピカピカーッ

「なにか、用《よう》かね。」

「あの、はんせいしてるんですが……。はんせいを……。」

と、ねずみ男《おとこ》がおそるおそる言《い》った。

「うん。きみたちの超能力《ちょうのうりょく》でも、どうにもできないことがあることが、わかったね。」

「はい。なんとか、もとどおりに……。」

「こんどだけは、かんべんしてやる。人間《にんげん》がねこになるたのしみを、じゃまする

もんじゃない。」
そう言《い》って、コンピューターをガチャガチャうごかして、ポコッとキップを、とりだした。
「これはさかさねこ町《まち》キップだから、さかさねこ町線《まちせん》にのると、ひと駅《えき》ごとにもとにかえり、人間《にんげん》の顔《かお》にもどるのだ。」

NEKOMACHI

ふたりが、
めいろの
ような
さかさ
ねこ町線《まちせん》に
のると、
ひと駅《えき》ごとに
顔《かお》がかわり、
東京駅《とうきょうえき》についた
ときは、
かんぜんに
もとに
もどっていた。

しかし、ねこ町《まち》キップに
かんすることは、
なにもかもわすれていた。
「鬼太郎《きたろう》、いっぱいのんでいこうや。」
ねずみ男《おとこ》がねぼけたことを言《い》った。
「バカ、金《かね》は一文《いちもん》もないよ。」
「そうだったかな。」

「おれたちは、なんで、こんなところでぼやぼやしているんだろう。はやく、家《いえ》にかえろう。」

ふたりが家《いえ》にかえると、家《いえ》のまえに、ねこ博士《はかせ》が立《た》っていた。

「手《て》ぬぐいのもんだいは、かいけつしたのかね。」

「なんのことですか？」

「だめだ。かんぜんに、記《き》憶《おく》をうしなっている。人間《にんげん》の蒸発《じょうはつ》がふえると、ねこがふえるというなぞをとくには、あまりにも、大《おお》きな困難《こんなん》が、立《た》ちはだかっているような気《き》がする。」

「なんだ、このじいさん。ひとりごと言《い》ってるぜ。」

「まえにやとった助手《じょしゅ》も、同《おな》じように記《き》憶《おく》をうしなっていたっけ。」

ねこ博士《はかせ》は、ひとりさみしく、ひきあげていった。

水木しげる

1922年、鳥取県境港市出身。同市の高等小学校を出て大阪にゆき、いろいろな職業につきながら、いろいろな学校を出たり入ったりする。戦争で左腕を失う。著書には『ゲゲゲの鬼太郎』『悪魔くん』『河童の三平』『日本妖怪大全』などがある。

※本書は、1980年にポプラ社より刊行された『水木しげるのおばけ学校④　おばけ宇宙大戦争』を再編集したものです。再編集にあたって、一部、現代の社会通念や人権意識からは不適切と思われる表現を修正しております。

おばけ宇宙大戦争

新装版　水木しげるのおばけ学校④

2024年9月　第1刷

著　者　　水木しげる

発行者　　加藤裕樹

発行所　　株式会社 ポプラ社

〒141-8210 東京都品川区西五反田3-5-8
JR目黒MARCビル12階
ホームページ www.poplar.co.jp

印刷・製本　中央精版印刷株式会社

デザイン　野条友史（buku）

ロゴデザイン協力　BALCOLONY.

落丁・乱丁本はお取り替えいたします。ホームページ（www.poplar.co.jp）のお問い合わせ一覧よりご連絡ください。

N.D.C.913 ／ 111P ／ 22cm ISBN 978-4-591-18269-7
P4184004